小羊雪莉

图书在版编目（CIP）数据

小羊雪莉 /（德）克尼斯特著 ;（法）塔勒绘 ; 杨玲玲，彭懿译. -- 北京 : 中信出版社，2016.3（2023.5 重印）
（遇见美好系列. 第 1 辑）
书名原文：Beautiful Shelly
ISBN 978-7-5086-5690-8

Ⅰ. ①小… Ⅱ. ①克… ②塔… ③杨… ④彭… Ⅲ. ①儿童文学－图画故事－德国－现代 Ⅳ. ① I516.85

中国版本图书馆 CIP 数据核字（2015）第 277224 号

小羊雪莉
著　　者：[德] 克尼斯特
绘　　者：[法] 伊芙・塔勒
译　　者：杨玲玲　彭　懿
出版发行：中信出版集团股份有限公司
（北京市朝阳区东三环北路27号嘉铭中心　邮编　100020）
承 印 者：山东韵杰文化科技有限公司

开　　本：889mm×1194mm　1/16　印　　张：2　字　　数：16千字
版　　次：2016年3月第1版　印　　次：2023年5月第32次印刷
京权图字：01-2015-5640
书　　号：ISBN 978-7-5086-5690-8
定　　价：19.80元

出　　品：中信儿童书店
策划编辑：张昭　喻之晓　何嘉珞
责任编辑：喻之晓
营销编辑：王澜
封面设计：[illegible]
内文排版：博远文化

小羊雪莉

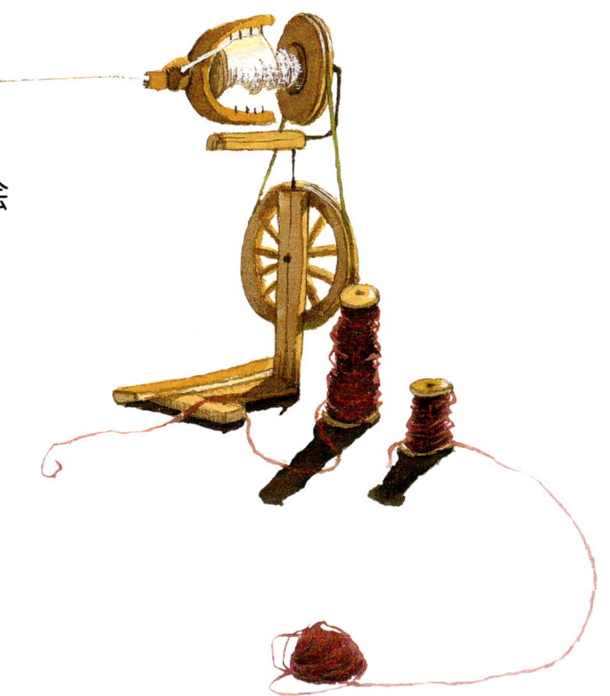

[德]克尼斯特 著 [法]伊芙·塔勒 绘
杨玲玲 彭懿 译

中信出版集团 | 北京

“我也想把毛剪掉。”小羊雪莉说。

“宝贝儿，你还得等等，等你的毛再长长一些。”妈妈说。

“那好吧，那我就出发去探险，等我的毛长长了再回来。”说着，雪莉就出发去探险了。

在路上，雪莉遇见了一只小蛞（kuò）蝓（yú）*。

“请问，可以把你的毛给我一点吗？”小蛞蝓对雪莉说，“你看，我光溜溜的，什么都没穿。”

“抱歉，现在还不行。”雪莉说，“等到明年吧，我的毛长长了，就可以给你了。”

* 译者注：蛞蝓又叫鼻涕虫，是一种软体动物，看起来就像没有壳的蜗牛。

“你的毛真厚实呀，请问可以给我一点吗？”一只小老鼠哆哆嗦嗦地对雪莉说，“我快冻僵了。”

“你的毛那么薄，你当然会冷了。”雪莉说，“也许明年吧，我就能给你一些羊毛了。”

这只小老鼠真可怜，雪莉心想。

15

“你真漂亮呀！你的毛也那么美！”小鹿对雪莉说，“我的毛又直又硬，可你的毛卷卷的，软软的，你可以给我一些吗？”

“我的毛是挺漂亮的，你的毛真的很糟糕。”雪莉说，“让我想想，没准明年我能给你一点儿。”

一条蛇从雪莉身边爬过，他吐着芯（xìn）子嘶嘶地说：“你能给我一些羊毛吗？我的皮肤上长满了鳞片，太不舒服了。”

“呃——还真是。”雪莉低头看看那条蛇说，“谁会愿意碰你呀？不行，我的毛那么漂亮，那么温暖，我才不会给你呢！”

“哦，天哪！”小猪说，“你的毛好漂亮呀！可我只有几根可怜的鬃毛，你愿意把身上的毛送我一些吗？”

“我当然比你好看了！”雪莉骄傲地扬起了头，“我怎么可能把这么漂亮的毛送给你呢？”

3

雪莉又走了很远很远，来到了水边。她一边欣赏着自己在水中的倒影，一边说：

“我的毛确实是世界上最美丽的，比谁的都漂亮，我绝对不会把它送给任何人！”

小羊雪莉越走越远，身上的毛也越来越长。

她的毛真是太厚了，雪莉不停地流汗。

她的毛真是太长了，雪莉几乎都走不动路了。

“不管怎么样，我还是那么漂亮。”雪莉心想。

雪莉的毛实在是太长了，不仅遮住了她的眼睛，也遮住了她的心。

她早就把其他的动物忘到脑后了，只想着她自己和她美丽的毛。

“哎哟！”雪莉一头撞在了树上。

“你这个可怜的家伙，”猫头鹰难过地说，“你身上的毛这么厚，你一定什么都看不见了，而且，你该多热啊！我敢打赌，你都不能像别的小羊那样玩儿了，你真该把毛剪一剪了！”

“你说得对，但是我不能把我的毛给别人。”雪莉说，“它是世界上最漂亮的毛！”

“但是，用你的毛做出来的东西会更漂亮。”

“更漂亮？”雪莉很疑惑。

“是的，而且能让更多人分享它的美好。”猫头鹰说，“勇敢点儿，去试试吧！”

雪莉终于明白了，原来自己美丽的羊毛能给那么多人带来快乐。她立刻启程回家，迫不及待地要回到妈妈身边……剪掉了毛，她觉得神清气爽！

毛线是怎么来的？

这一页，雪莉的朋友们会告诉你

羊身上的毛终年都在生长。

剪下来的羊毛要先清洗干净。

接下来，要梳理羊毛，把所有打结的地方都梳开。用纺车把一股股羊毛都纺成线，然后就可以雪莉的羊毛是如何变成毛线球的。

等羊毛长得足够长了，就把它剪下来或剃下来。

然后可以染成各种颜色。

用来织毛衣啦。

[德] 克尼斯特

德国儿童文学作家。他生于 1952 年，在鲁尔区长大，原名鲁德格尔·约赫曼。1978 年，他成为自由作家和编剧，1980 年以“克尼斯特”为笔名发表了第一部童话作品，迄今已出版了 40 多本书，作品被翻译为近 40 种语言。他的作品被改编为电影和电子游戏等，在孩子们当中具有无比强大的号召力。克尼斯特有三个孩子，他住在森林边上，热爱帆船运动和音乐，他还经常跟小鹿、小刺猬和小兔子打招呼。

[法] 伊芙·塔勒

1956 年生于法国的米卢斯市，童年在德国度过。1981 年，她开始从事书籍插图创作，曾在出版社工作 18 年，为上百本书绘制过插图。现与两个儿子和同为插画家的丈夫居住在法国布列塔尼地区，养有三只狗、两只猫、两匹马和两头驴。她最爱的是弹钢琴、散步和坐马车出去玩！

扫一扫
收听本书故事